Todos nacemos libres es un libro ilustrado por:
John Burningham, Niki Daly, Korky Paul, Jane Ray, Marie-Louise Fitzpatrick,
Jan Spivey Gilchrist, Ole Könnecke, Piet Grobler, Fernando Vilela, Polly Dunbar,
Bob Graham, Alan Lee, Hong Sung Dam, Frané Lessac, Sybille Hein,
Marie-Louise Gay, Jessica Souhami, Debi Gliori, Satoshi Kitamura, Gusti,
Catherine and Laurence Anholt, Gilles Rapaport, Jackie Morris, Brita Granström,
Nicholas Allan, Axel Scheffler, Chris Riddell, Marcia Williams

Ilustración de cubierta: Peter Sis

Título original: *We Are All Born Free*
Publicado originalmente por Frances Lincoln Children's Books, 2008
© 2008 AMNISTIA INTERNATIONAL UK
El texto simplificado de la Declaración Universal de los Derechos Humanos
es una gentileza de AMNISTIA INTERNATIONAL UK
© de los textos de introducción, John Boyne y David Tennant, 2008
© de las ilustraciones, cada uno de los artistas citados, 2008
© de la traducción, Varda Fiszbein, 2008

© de esta edición, RBA Libros, S.A., 2008
Pérez Galdós, 36 08012 Barcelona
www.rbalibros.com / rba-libros@rba.es

Primera edición: noviembre de 2008
Compaginación: Editor Service, S.L.

Impreso en Singapur

Referencia: OAIS357
ISBN: 978-84-9867-051-6

TODOS NACEMOS LIBRES

La Declaración Universal de
los Derechos Humanos ilustrada

MOLINO

En colaboración con

AMNISTÍA INTERNACIONAL

En enero de 2006 publiqué una novela titulada *El niño con el pijama de rayas*. Trata de dos niños de nueve años de edad, cuyas vidas cambian para siempre al estallar la Segunda Guerra Mundial, cuando se ven atrapados por el crimen más horrendo que jamás había visto el mundo.

Por supuesto, la guerra tuvo lugar antes de que se fundara Amnistía Internacional y previamente a que se hubiera escrito la relación de derechos incluida en este libro, de manera que los personajes de mi historia padecieron como nadie hubiera debido padecer nunca.

He tenido la suerte de conversar con niños del mundo entero sobre mi libro y siempre trato de explicarles por qué los protagonistas de la novela fueron tratados de manera tan cruel durante aquellos terribles años.

Y siempre recurro a la Declaración Universal de los Derechos Humanos, las treinta normas que deben aplicarse a todas las personas y no solamente a aquellas que comparten con nosotros lugar de nacimiento, color de piel o convicciones religiosas.

Creer en esas normas, actuar de acuerdo con ellas y comprometerse a no quebrantarlas es de la forma que podremos lograr hacer del mundo un sitio mejor. Y también es la manera de convertirnos en mejores personas. No es tan complicado si lo piensas, ¿verdad?

Tengo la esperanza de que disfrutes de este libro.

Puede que sea el más importante de todos los que tengas.

Durante los últimos tres años he participado en un programa de televisión titulado *Doctor Who*.[1] Represento al personaje de *El Doctor*, que viaja a través del tiempo y el espacio en una vieja y estropeada caja de madera. Tiene 903 años de edad y procede del planeta *Gallifrey*, perteneciente a la constelación de *Kasterborous*, pero pese a que no es un ser humano, sospecho que tiene una copia de la Declaración Universal de los Derechos Humanos pinchada en la pared de su dormitorio en TARDIS. Dondequiera que esté en el universo utiliza su tiempo para desterrar la injusticia y el mal. Él cree que cualquier persona, en cualquier parte, tiene el derecho de ser libre y feliz: lo mismo que cree Amnistía Internacional.

La primera vez que oí hablar de Amnistía Internacional yo era un adolescente que recién comenzaba a interesarse por lo que ocurría en el mundo y constantemente me chocaban la crueldad y el egoísmo con que cada ser humano es capaz de tratar a su prójimo. Amnistía Internacional representa una idea tan sencilla como que cada persona, en cualquier parte del mundo, merece ser tratada justamente.

La Declaración Universal de los Derechos Humanos es clara y sin complicaciones. Se lee como una lista de sentido común; quizás todos deberíamos tener una copia pegada en la pared de nuestro dormitorio.

Ninguno de nosotros podrá llegar a tener 903 años de edad; entonces, ¿no nos correspondería hacer lo máximo posible durante el tiempo del que disponemos? Somos muchos seres humanos apiñados en este diminuto planeta y no hay TARDIS que venga a transportarnos misteriosamente a otro sitio. Tenemos que cuidar de cada uno de los demás.

En este maravilloso libro encontraréis treinta normas para vivir en el mundo.

Estamos todos juntos en él.

Disfrutad.

---

[1] N. de T. *Doctor Who* es una serie de televisión británica de ciencia ficción producida por la BBC. La historia relata las aventuras de un misterioso viajero, conocido como *El Doctor*, que explora el tiempo y el espacio en su nave, junto con sus compañeros, resolviendo problemas. El programa es la nueva versión del que está en el Libro Guinness de los Récords como la serie de televisión de ciencia ficción de mayor duración del mundo. Obtuvo un premio BAFTA a la Mejor Serie Dramática en 2006.

Todos nacemos libres.
Todos tenemos nuestros
propios pensamientos e ideas.
Todos debemos ser tratados
de la misma manera.

Estos derechos son de todos,
sean cuales sean nuestras diferencias.

y a vivir libres y seguros.

Nadie tiene derecho
A ESCLAVIZARNOS.

No podemos
ESCLAVIZAR A NADIE.

Nadie tiene derecho
a hacernos
DAÑO

O a

TORTURARNOS.

Todos tenemos derecho

a ser protegidos por la ley.

LA LEY ES IGUAL PARA TODOS.
Y A TODOS TIENE QUE
TRATARNOS JUSTAMENTE.

TODOS PODEMOS RECURRIR A LA LEY PARA QUE

NOS AYUDE CUANDO NOS TRATEN INJUSTAMENTE.

Nadie tiene derecho a encarcelarnos
sin una buena razón, a mantenernos
presos o a expulsarnos de nuestro país.

Si somos juzgados debe ser públicamente.
Quienes nos juzguen no deben permitir que
nadie les diga cómo tienen que proceder.

Nadie puede ser acusado de haber
hecho algo hasta que se haya
probado que lo hizo.
Cuando la gente dice que hemos
hecho algo malo tenemos el derecho
de demostrar que no es cierto.

Nadie puede difamar nuestro buen nombre.
Nadie tiene derecho a entrar a nuestra casa, abrir
nuestras cartas, molestarnos o molestar a nuestra
familia, sin tener una buena razón para hacerlo.

Todos tenemos el derecho de ir

donde queramos en nuestro propio país

y de viajar al extranjero si así lo deseamos.

Si tenemos miedo de ser maltratados
en nuestro propio país, todos tenemos
derecho a huir a otro para estar seguros.

Todos tenemos el derecho de pertenecer a un país.

Todos los adultos tienen derecho a casarse
y a tener una familia, si así lo desean.

Hombres y mujeres tienen los mismos derechos
tanto cuando están casados como cuando están separados.

Cada persona
tiene el derecho
de poseer cosas
o de compartirlas.
Nadie debe
quitarnos lo
que es nuestro
sin una buena razón.

Todos tenemos derecho a creer en lo que nos guste,
a tener una religión o a cambiarla si así lo deseamos.

Todos tenemos derecho a tomar nuestras propias decisiones, a pensar como nos guste, a decir todo lo que pensamos y a compartir nuestras ideas con otras personas.

Todos tenemos el derecho de
reunirnos con nuestros amigos
y de trabajar junto a ellos
pacíficamente para defender
nuestros derechos. Nadie
puede obligarnos a unirnos a un
grupo si no queremos hacerlo.

Todos tenemos derecho a participar
en el gobierno de nuestro país.
Las personas adultas deben poder
elegir a sus propios líderes.

Todos tenemos derecho a una vivienda,
a tener suficiente dinero para vivir

y a tener atención médica si estamos enfermos.

Cada persona adulta tiene derecho a tener un empleo, a una justa retribución por su trabajo y a afiliarse a un sindicato.

*Todos tenemos derecho
al descanso laboral
para relajarnos.*

Todos tenemos derecho a disfrutar de una buena vida. Madres, niños y ancianos, personas desempleadas o discapacitadas tienen derecho a los cuidados que necesiten.

Nuestros padres tienen derecho a escoger dónde y qué estudiamos.

Debemos aprender sobre las Naciones Unidas y a llevarnos bien con otras personas y respetar sus derechos.

Todos tenemos derecho a tener nuestro propio estilo de vida y a disfrutar de los beneficios que nos brindan la ciencia y los conocimientos.

Nadie puede quitarnos nuestros derechos y libertades.

LA DECLARACIÓN UNIVERSAL DE

Artículo 1 Todos nacemos libres. Todos tenemos nuestros propios pensamientos e ideas. Todos debemos ser tratados de la misma manera.

Artículo 2 Estos derechos son de todos, sean cuales sean nuestras diferencias.

Artículo 3 Todos tenemos derecho a la vida y a vivir libres y seguros.

Artículo 4 Nadie tiene derecho a esclavizarnos. No podemos esclavizar a nadie.

Artículo 5 Nadie tiene ningún derecho a hacernos daño o a torturarnos.

Artículo 6 Todos tenemos derecho a ser protegidos por la ley.

Artículo 7 La ley es igual para todos. Y a todos tiene que tratarnos justamente.

Artículo 8 Todos podemos recurrir a la ley para que nos ayude cuando nos traten injustamente.

Artículo 9 Nadie tiene derecho a encarcelarnos sin una buena razón, a mantenernos presos o a expulsarnos de nuestro país.

Artículo 10 Si somos juzgados debe ser públicamente. Quienes nos juzguen no deben permitir que nadie les diga cómo tienen que proceder.

Artículo 11 Nadie puede ser acusado de haber hecho algo hasta que se haya probado que lo hizo. Cuando la gente dice que hemos hecho algo malo, tenemos el derecho de demostrar que no es cierto.

Artículo 12 Nadie puede difamar nuestro buen nombre. Nadie tiene derecho a entrar en nuestra casa, abrir nuestras cartas, molestarnos o molestar a nuestra familia, sin tener una buena razón para hacerlo.

Artículo 13 Todos tenemos el derecho de ir donde queramos en nuestro propio país y de viajar al extranjero si así lo deseamos.

Artículo 14 Si tenemos miedo de ser maltratados en nuestro propio país, todos tenemos derecho a huir a otro para estar seguros.

Artículo 15 Todos tenemos derecho a pertenecer a un país.

Artículo 16 Todos los adultos tienen derecho a casarse y a tener una familia, si así lo desean. Hombres y mujeres tienen los mismos derechos tanto cuando están casados como cuando están separados.

LOS DERECHOS HUMANOS VERSIÓN SIMPLIFICADA

Artículo 17 Cada persona tiene el derecho de poseer cosas o de compartirlas. Nadie debe quitarnos lo que es nuestro sin una buena razón.

Artículo 18 Todos tenemos derecho a creer en lo que nos guste, a tener una religión o a cambiarla si así lo deseamos.

Artículo 19 Todos tenemos derecho a tomar nuestras propias decisiones, a pensar como nos guste, a decir lo que pensamos y a compartir nuestras ideas con otras personas.

Artículo 20 Todos tenemos el derecho de reunirnos con nuestros amigos y a trabajar junto a ellos pacíficamente para defender nuestros derechos. Nadie puede obligarnos a unirnos a un grupo si no queremos hacerlo.

Artículo 21 Todos tenemos derecho a participar en el gobierno de nuestro país. Las personas deben poder elegir a sus propios líderes.

Artículo 22 Todos tenemos derecho a una vivienda, a tener suficiente dinero para vivir y a tener atención médica si estamos enfermos. La música, el arte, la artesanía y el deporte son para el disfrute de todas las personas.

Artículo 23 Cada persona adulta tiene derecho a tener un empleo, a una justa retribución por su trabajo y a afiliarse a un sindicato.

Artículo 24 Todos tenemos derecho al descanso laboral para relajarnos.

Artículo 25 Todos tenemos derecho a disfrutar de una buena vida. Madres, niños y ancianos, personas desempleadas o discapacitadas tienen derecho a los cuidados que necesiten.

Artículo 26 Todos tenemos derecho a la educación y a finalizar la escuela primaria, que debe ser gratuita. Todos tenemos derecho a estudiar una carrera o a ejercer nuestro oficio. Nuestros padres tienen derecho a escoger dónde y qué estudiamos. Debemos aprender sobre las Naciones Unidas y a llevarnos bien con otras personas y respetar sus derechos.

Artículo 27 Todos tenemos derecho a tener nuestro propio estilo de vida y a disfrutar de los beneficios que nos brindan la ciencia y los conocimientos.

Artículo 28 Tiene que haber el orden apropiado para que todos podamos disfrutar de derechos y libertades en nuestro propio país y en el mundo entero.

Artículo 29 Tenemos un deber hacia otras personas, y debemos proteger sus derechos y libertades.

Artículo 30 Nadie puede quitarnos nuestros derechos y libertades.

¡Ahora, conoce a los artistas!

ARTÍCULOS 1 y 2 – John Burningham ha sido internacionalmente reconocido desde que su primer libro, *Borka: The Adventures of a Goose With No Feathers*, ganó el Kate Greenway Medal[1] (Galardón Kate Greenway). Vive en Londres junto con su familia.

ARTÍCULO 3 – Niki Daly es un renombrado ilustrador y escritor que vive en Ciudad del Cabo, Sudáfrica. Ha obtenido muchos premios por su trabajo, en el que celebra la vida y los constantes cambios que han ido sucediendo en su país.

ARTÍCULO 4 – Korky Paul nació en Zimbaue y estudió Bellas Artes. Entre otras obras de éxito, es el autor del personaje *Winnie the Witch*. Korky visita escuelas promocionando su pasión por el dibujo. Vive en Oxford.

ARTÍCULO 5 – Jane Ray ha trabajado en muchos libros ilustrados que han recibido premios y son internacionalmente famosos. Disfruta de la música, leyendo y practicando la jardinería. Vive en el norte de Londres con su marido, sus tres hijos y dos gatos.

ARTÍCULO 6 – Marie-Louise Fitzpatrick es una galardonada autora e ilustradora irlandesa que vive en Dublín. Entre otros, su obra incluye títulos como *Silly Mummy, Silly Daddy, Izzy and Skunk* y *I'm a Tiger Too*.

ARTÍCULO 7 – Jan Spivey Gilchrist es una artista premiada que ha sido incluida en el National Literary Hall of Fame for Writers of African Descent (Salón Nacional Literario de Famosos Escritores Descendientes de Africanos). Vive en Estados Unidos de América.

ARTÍCULO 8 – Ole Könnecke es un autor alemán criado en Suecia. Comenzó a dibujar cuando estudiaba filología germánica. Vive en Hamburgo, Alemania.

ARTÍCULO 9 – Piet Grobler creció en una granja de la provincia sudafricana de Limpopo. Actualmente vive en Stellenbosch y sus trabajos se publican en todo el mundo.

ARTÍCULO 10 – Fernando Vilela es brasileño y un artista, diseñador, autor e ilustrador que ha recibido numerosos premios. Vive en Sâo Paulo. Entre otros libros, es autor de *The Great Snake Stories from the Amazon*.

ARTÍCULO 11 – Polly Dunbar ha escrito e ilustrado numerosos cuentos para niños. Su libro *Pingüino* ha ganado el Nestlé Children's Book Prize[2] de Plata. Cuando no está dibujando, le gusta hacer marionetas.

ARTÍCULO 12 – Bob Graham, el artista australiano de libros infantiles más importante ha escrito e ilustrado numerosos cuentos para niños, entre ellos, *Rose Meets Mr. Wintergarten*, *Buffy*, *Let's Get a Pup!*, y su continuación, *The Trouble with Dogs*. Ha sido ganador del Nestlé Children's Book Prize, del Kate Greenway Medal (Galardón Kate Greenway), y ha obtenido en cuatro ocasiones, el Australian Children's Book of the Year (Premio Australiano al Libro Infantil del Año).

Artículo 13 – Alan Lee ha sentido fascinación durante toda su vida por los mitos y la fantasía. Además de sus libros premiados, ha trabajado durante seis años en diseños para la trilogía cinematográfica *El señor de los anillos*.

Artículo 14 – Hong Sung Dam fue enviado a la cárcel por sus cuadros y es un ex prisionero de conciencia de Amnistía Internacional. Este artista vive y trabaja en Corea del Sur.

Artículo 15 – Frané Lessac vive en el oeste de Australia. En sus libros trata de que los niños se inspiren en sus raíces y su entorno, por medio de las palabras e imágenes.

Artículo 16 – Sybille Hein ha sido tres veces ganadora del Austrian Children's Book Prize (Premio Austríaco al Libro Infantil). Cuando no está dibujando recorre los parques de Berlín y juega con la arena junto con su hijo pequeño, Mika.

Artículo 17 – Marie-Louise Gay ha ilustrado o escrito más de sesenta libros infantiles. También escribe obras de teatro para títeres y los diseña. Vive en Montreal, Canadá.

Artículo 18 – Jessica Souhami crea atrevidas ilustraciones con técnica del *collage* que están influenciadas por su trabajo como titiritera. Sus numerosos libros para niños relatan historias de todo el mundo.

Artículo 19 – Debi Gliori nació y vive en Escocia. Comenzó su carrera en 1984 y es autora e ilustradora de más de sesenta álbumes ilustrados y seis novelas. Tiene cinco niños.

Artículo 20 – Satoshi Kitamura nació en Tokio. Es el ilustrador de muchos libros premiados, incluyendo el clásico *Fernando Furioso*. Vive en Londres.

Artículo 21 – Gusti nació en Argentina y vive en España. Es un artista internacionalmente famoso y está comprometido con la protección de dos especies de aves en peligro de extinción: las águilas de América del Sur y los cóndores de Argentina.

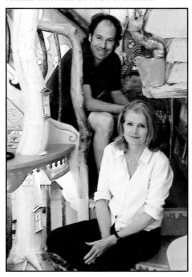

Artículo 22 – Catherine y Laurence Anholt han creado más de cien *bestsellers* en el género de libro infantil y han ganado numerosos premios, incluyendo el Nestlé Children's Book Prize. Son los propietarios de *Chimp and Zee*, *Bookshop by the Sea*, la primera librería británica propiedad de autor.

ARTÍCULO 23 – Gilles Rapaport vive en París. Ha ilustrado más de veinte libros para niños. Su trabajo expresa el deseo de que los niños consigan ser libres física y mentalmente.

ARTÍCULO 24 – Jackie Morris quería ser artista desde que tenía seis años. Ahora sus libros son admirados en todo el mundo. Vive en Pembrokeshire, Gales, en una pequeña casita junto al mar.

ARTÍCULO 25 – Brita Granström se crió en Suecia, pero ahora vive y trabaja, la mayor parte del tiempo, en Berwick-upon-Tweed, Reino Unido, con su marido, el escritor e ilustrador Mick Manning. Ha ganado varios premios por sus libros ilustrados, entre ellos el Nestlé Children's Book Prize de Plata y el Oppenheim Platinum Award (Premio Oppenheim Platino).

ARTÍCULO 26 – Nicholas Allan escribió su primera novela a los 14 años. Sus célebres libros —incluyendo *The Queen's Knickers*— han sido traducidos a muchos idiomas y su programa televisivo *Hilltop Hospital* obtuvo un premio . BAFTA.

ARTÍCULO 27 – Axel Scheffler nació en Hamburgo, Alemania, y ahora vive en el Reino Unido. Es un artista internacionalmente admirado y conocido, sobre todo por haber ilustrado la obra *El Grúfalo*, de Julia Donaldson.

ARTÍCULO 28 – Chris Riddell es un dibujante innovador y también caricaturista político. Su trabajo está lleno de detalles fascinantes y elementos de fantasía. Entre sus libros está *Ottoline y the Yellow Cat*, premiado con el Nestlé Children's Book Prize de Oro.

ARTÍCULOS 29 Y 30 – Marcia Williams sintió amor por los libros desde muy temprana edad y aún recuerda la felicidad que sentía cuando le leían los cuentos. Su manera singular de ilustrar tiras cómicas es admirada en todo el mundo. Actualmente vive en Londres.

---

[1] Premio a los mejores ilustradores de libros infantiles del Reino Unido.

[2] N. de T. El premio Nestlé al Libro Infantil es uno de los más antiguos del Reino Unido. Se concede a la mejor literatura para niños y, a lo largo de los años, casi medio millón de escolares han escogido a los ganadores del mismo.

La Declaración Universal de los Derechos Humanos vela por todos nosotros, sin importar quiénes somos o dónde vivimos.

Estos derechos han sido proclamados por las Naciones Unidas el 10 de diciembre de 1948, cuando el mundo dijo «nunca más» a los horrores de la Segunda Guerra Mundial. Los gobiernos del mundo entero se comprometieron a difundir estos derechos entre las personas y a hacer todo lo posible por defenderlos.

Cada niño y adulto en este mundo tiene estos derechos. Todos nacemos libres e iguales. Nuestros derechos son parte de aquello que nos hace humanos y nadie nos los puede quitar.

Amnistía Internacional trabaja para proteger los derechos humanos en todo el mundo.

Puede encontrar más información en www.amnesty.org

Amnistía Internacional Argentina
Av. Rivadavia 2206 - P4A
Ciudad de Buenos Aires,
C1032ACO
11 49 54 55 99
www.amnesty.org.ar

Amnesty International
Estados Unidos
5 Penn Plaza - 16th floor
New York, NY 10001
212 807 8400
www.amnestyusa.org/en-espanol

Amnistía Internacional España
Fernando VI, 8, 1º izda
Madrid, 28004
91 310 1277
www.es.amnesty.org

Amnistía Internacional México
Insurgentes Sur 327
Oficina C, Col. Hipódromo Condesa
Mexico D.F., C.P. 6100
55 5574 7139
www.amnistia.org.mx